LA VIE AU TEMPS PASSE

LE MOYEN AGE

Texte original de Catherine Oakes

Illustrations de Stephen Biesty

Adaptation française d'Anne-Marie Thuot

Garantie de l'éditeur

Pour vous parvenir à son plus juste prix, cet ouvrage a fait l'objet d'un gros tirage. Malgré tous les soins apportés à sa fabrication, il est malheureusement possible qu'il comporte un défaut d'impression ou de façonnage. Dans ce cas, ce livre vous sera échangé sans frais.

Veuillez à cet effet le rapporter au libraire qui vous l'a vendu ou nous écrire à l'adresse ci-dessous en nous précisant la nature du défaut constaté. Dans l'un ou l'autre cas, il sera immédiatement fait droit à votre réclamation.

Librairie Gründ - 60, rue Mazarine - 75006 Paris

Adaptation française de Anne-Marie Thuot

Texte original de Catherine Oakes
Illustrations de Stephen Biesty

Première édition française 1989 par Librairie Gründ, Paris

ISBN : 2-7000-4271-9
Dépôt légal : septembre 1989
Édition originale 1989 par Hamlyn Publishing Group

Photocomposition : Paragraphic, Toulouse
Imprimé à Hong Kong

Loi nº 49-956 du 16 juillet 1949 sur les publications destinées à la jeunesse.

TABLE

INTRODUCTION

Avec ce livre, partez à la découverte du Moyen Age, appelé aussi époque médiévale. Les termes Moyen Age et médiéval signifient époque intermédiaire car cette période était jugée moins importante que l'Empire romain qui l'avait précédée, et que la Renaissance qui allait venir juste après. On pensait qu'il ne s'était pas produit d'événement marquant pendant ces années de transition. Bien au contraire : des choses passionnantes ont eu lieu au Moyen Age, qui couvre près de mille ans de notre histoire.

Aujourd'hui, si nous voulons savoir comment on vivait il y a à peine cent ans, il nous suffit d'observer chaque détail de notre vie quotidienne pour mesurer les transformations accomplies depuis cette époque.

Pour se représenter la vie quotidienne au Moyen Age, qui s'est terminé il y a cinq cents

janvier

février

mars

avril

mai

juin

ans, il faut consulter des témoignages, des documents. Les historiens étudient des manuscrits et des livres anciens et commentent la richesse du patrimoine artistique, pictural et architectural que nous a transmis cette époque (pages 60-61). Mais un fait est certain : nous devons tous faire appel à notre imagination pour redécouvrir le passé.

Dans le cas du Moyen Age, essayez de vous représenter un monde beaucoup moins peuplé que le nôtre, où les familles restaient ensemble plus longtemps, sans jamais quitter leur ville ou leur village natal, où la plupart des habitants étaient des paysans et où tout s'effectuait lentement ... Imaginez ce que serait votre vie de tous les jours sans électricité, sans eau courante, sans télévision ni voiture. Si vous êtes capables de le faire, alors vous êtes prêts à imaginer ce qu'était la vie au Moyen Age. Mais lisez plutôt la suite ...

juillet

octobre

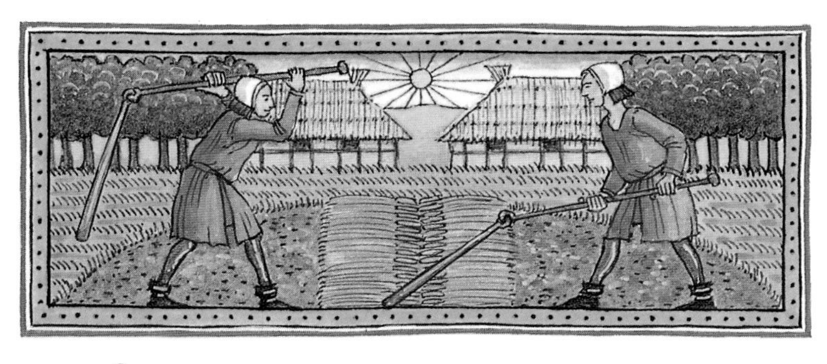

août

novembre

septembre

décembre

LES ARTS ET L'ÉTUDE

L'atelier d'un enlumineur

L'éducation des enfants

École de chant où les enfants apprenaient à lire et à chanter le service divin.

Au Moyen Age, la plupart des enfants n'allaient pas à l'école, ils ne savaient donc ni lire ni écrire. En effet, la plupart des habitants travaillaient la terre et, pour cela, ils n'avaient pas besoin de savoir lire ni écrire. Tout ce que les enfants devaient savoir, ils l'apprenaient de leur père ou leur mère. Les garçons apprenaient à cultiver la terre et à utiliser les outils ; les filles à tisser, coudre et faire la cuisine. Très rares étaient les enfants qui allaient étudier dans les écoles monastiques ou dans les écoles cathédrales (page 16).

Prêtre racontant la Bible à des enfants.

Certains enfants pourtant allaient dans une école de chant tenue par l'Église, qui avait besoin de jeunes garçons pour chanter les psaumes. Comme la messe se célébrait en latin (page 19), ils devaient savoir le lire. Certains parents mettaient donc leurs fils et leurs filles dans ces écoles de chant pour qu'ils apprennent au moins à lire.

Les enfants apprenaient en regardant leurs parents travailler.

À l'âge de sept ans, les enfants issus de la noblesse allaient vivre dans la demeure ou le château d'un seigneur. Les garçons devenaient pages, et apprenaient les bonnes manières et le service de la table (page 28). Les filles apprenaient à faire de la tapisserie, à filer la laine et à tenir une grande maison.

Les universités

Examen de fin d'études à l'université

Les premières universités firent leur apparition au Moyen Age. Les étudiants y entraient à quatorze ans. On y enseignait les « sept arts libéraux » groupés en deux cycles : le trivium ; grammaire, dialectique (raisonnement), rhétorique (discours), et le quadrivium ; calcul arithmétique, géométrie, astronomie et musique. Ensuite, les étudiants pouvaient continuer à étudier la théologie (connaissances religieuses), le droit, la médecine ou l'astronomie (page 10).

Au Moyen Age, l'examen passé à la fin des études ressemblait plutôt à un débat public très animé au cours duquel les étudiants devaient montrer leur aptitude au raisonnement. S'ils raisonnaient bien, ils recevaient leur diplôme. Le public applaudissait chaque fois que l'étudiant marquait un point et le huait dans le cas contraire.

Dans l'Europe du Nord, les universités étaient entre les mains des maîtres, comme aujourd'hui. Toutefois, dans certaines universités italiennes, une plus grande liberté régnait. En effet, il pouvait arriver que les maîtres soient renvoyés, voire même battus, s'ils étaient en retard, s'ils refusaient de répondre à une question difficile ou, tout simplement, s'ils étaient trop ennuyeux !

La musique était un des sept arts libéraux, représentés au Moyen Age par des personnes.

Les connaissances

L'étude des astres

Au Moyen Age, le culte des saints, la superstition et l'astrologie conditionnaient la vision du monde et le comportement des individus. On croyait que la santé, la

Au Moyen Age, on croyait que l'univers fonctionnait comme une machine dont le centre était la terre. Ici, deux anges actionnent les manivelles qui font tourner le ciel autour de la terre.

personnalité, l'avenir et même le temps dépendaient de la position des astres.

Encore aujourd'hui, des spécialistes étudient l'influence des étoiles et des planètes sur les activités humaines. Cette discipline s'appelle l'astrologie. Au Moyen Age, c'était une des matières les plus importantes du programme scolaire.

Astrologue. Grâce à sa connaissance du mouvement des astres et des planètes, l'astrologue pouvait formuler des prédictions.

Dans toutes les cours d'Europe, il y avait un astrologue à demeure ; il prédisait le temps et l'avenir, ainsi qu'en témoigne une prévision de l'époque :

« Novembre sera très pluvieux et venté avec de brusques changements d'air, de la pluie, du vent et peut-être de la neige ... Les fils, les enfants et les messagers seront touchés cette année par les maladies et d'autres malheurs. »

L'astrologue poursuivait en prédisant des saignements de nez, des migraines, des maux de ventre, des furoncles et des cas de gale !

Alchimiste. Les alchimistes étaient des savants qui tentèrent de fabriquer de l'or à partir d'une substance mystérieuse appelée « pierre philosophale ».

La saignée se pratiquait généralement à l'aide de sangsues. On croyait qu'elle permettait de chasser la maladie du corps.

La médecine

La médecine reposait aussi sur l'astrologie. Elle utilisait les tables astrologiques afin de déterminer quelle était la meilleure époque pour soigner un malade.

On croyait que le corps humain renfermait quatre humeurs ou substances liquides : la bile, l'atrabile (la mélancolie), le flegme et le sang. Par exemple, trop de sang vous rendait joyeux ; trop de bile vous poussait à la colère. D'où votre bonne ou mauvaise humeur, selon l'expression que vous connaissez. Si l'une des humeurs prédominait, cela se traduisait par une maladie ou un comportement excessif. La saignée était alors l'un des traitements envisagés : on posait des sangsues sur la peau du malade afin qu'elles sucent l'excès de sang. La médecine fut aussi abordée différemment au XIVe siècle lors de la grande épidémie de peste (page 51).

À proximité des villes, on construisit des hôpitaux, des hospices et des léproseries qui permirent d'isoler les malades et de lutter plus efficacement contre la propagation des maladies infectieuses et des épidémies.

L'avenir

Roger Bacon, théologien et philosophe anglais, écrivit cette prédiction surprenante de vérité :

« Un jour, l'homme construira des machines pour naviguer ... des chariots qui se déplaceront à une vitesse incroyable, sans l'aide des animaux ... des machines volantes ... des machines pour descendre explorer les profondeurs des océans ... »

C'était au XIIIe siècle !

Dessin d'une machine qui produirait le mouvement perpétuel. Les savants du Moyen Age cherchaient à fabriquer une machine qui fonctionnerait indéfiniment, sans aucun mécanisme pour l'actionner.

Illustration extraite d'un bestiaire, ouvrage représentant les animaux connus à l'époque médiévale. Certaines créatures étaient imaginaires, comme la licorne, le centaure et le griffon.

La fabrication d'un livre

Bibliothèque, où les livres sont enchaînés afin qu'ils ne soient pas volés.

Les livres coûtaient très cher au Moyen Age. Le prix d'une Bible, par exemple, équivalait au revenu perçu en une année par un forgeron ! Pour cette raison, on les attachait avec des chaînes afin qu'on ne les vole pas.

Si le prix des livres était si élevé, c'est parce qu'on ne connaissait pas la presse à imprimer (page 58). On devait donc recopier chaque livre à la main. Cela demandait beaucoup de temps, il fallait parfois plus d'une année à un moine-copiste pour transcrire un seul livre. Le papier n'existait pas non plus. On fabriquait le parchemin avec de la peau de mouton et le vélin avec de la peau de veau. Pour réaliser une Bible enluminée, il fallait un troupeau de moutons.

Certains ouvrages étaient enluminés par les moines, c'est-à-dire ornés de miniatures ou de dessins peints de couleurs vives.

Les moines préparaient eux-mêmes leurs couleurs. Au XIIe siècle, l'un d'eux raconta comment il avait fabriqué de l'encre rouge avec du cuivre, du sel, du miel et de l'urine — la mise au point de cette technique lui demanda quatre semaines. On obtenait aussi certaines encres rouges en broyant des insectes. De temps en temps, on employait de l'or pur.

Marge d'un manuscrit enluminé.

Les artistes au Moyen Age

Homme travaillant à une fresque. On appliquait la peinture sur un enduit humide ; il fallait travailler vite, avant que l'enduit ne sèche et l'on n'exécutait qu'une section à la fois.

Au cours du Haut Moyen Age (début du Moyen Age), on ne demandait pas à un peintre d'être original. Il devait simplement recopier des objets, des animaux ou des personnages d'après des modèles dessinés dans un livre, ou suivre les instructions du riche client qui commandait l'œuvre. On attendait surtout d'un artiste qu'il sache raconter une histoire en peinture. Ces représentations avaient aussi un but pédagogique, elles enseignaient au peuple les grandes scènes de la Bible.

Par la suite, les peintres essayèrent de représenter le monde tel qu'il était *réellement*. L'Italien Giotto fut jugé révolutionnaire car il introduisit la perspective (l'illusion de profondeur) dans ses tableaux.

La plupart des artistes employaient de la peinture « a tempera » composée de pigments en poudre qui avaient comme support du blanc d'œuf et de l'eau. Comme elle se fendillait vite, il fallait l'appliquer sur un bois préparé. L'autre procédé consistait à peindre directement sur un enduit mural « frais », d'où le terme de « fresque ». En séchant, l'enduit fixait les couleurs. C'est pourquoi la plupart des fresques que l'on admire encore aujourd'hui ont conservé des couleurs aussi lumineuses.

Peintre exécutant un tableau de la Vierge et l'Enfant, thème très populaire à la fin du Moyen Age.

Artiste présentant un livre enluminé au riche seigneur qui le lui avait commandé. Ceux qui commandaient une œuvre à un artiste intervenaient beaucoup dans son travail.

LA RELIGION

Prêtre célébrant la messe

Pèlerins devant la châsse d'un saint

Abbé

Pèlerin

Moines faisant l'aumône aux pauvres

Chevalier et sa suite en visite à l'abbaye

La vie dans une abbaye

Copiste travaillant sur un manuscrit

Cueillette d'herbes pour préparer des potions

Croisé

Maître d'œuvre

Moines chantant dans le chœur

Soins aux malades dans l'hôpital de l'abbaye

Moines et religieuses

Dans l'Europe médiévale, se rendre à l'église était une pratique quotidienne et obligatoire. La population versait un impôt au clergé, la dîme : chaque fidèle devait apporter le dixième de ses récoltes et des produits de sa basse-cour ; le clergé vivait de ces prélèvements en nature.

L'Église était une institution puissante qui exerçait une grande influence sur la vie des habitants et édictait des lois. À sa tête à Rome se trouvait le pape.

Un bénédictin et une cistercienne. Il existait de nombreux ordres religieux reconnaissables grâce aux vêtements que portaient les moines et les religieuses.

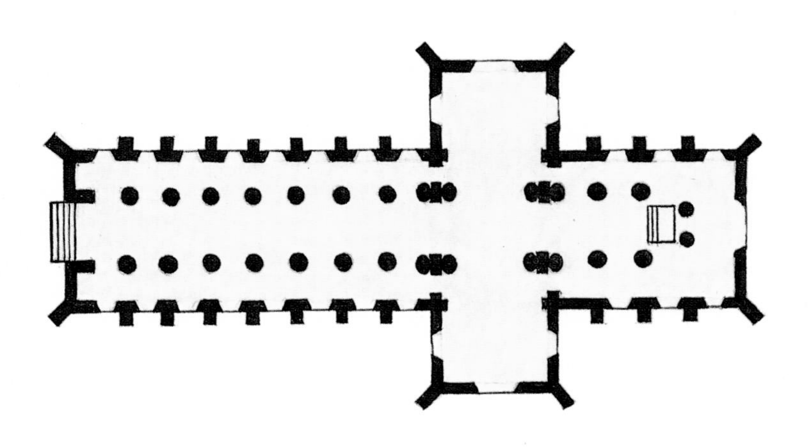

Plan d'une abbatiale. Elles étaient construites en forme de croix, pour témoigner de la mort du Christ.

La vie en communauté

Bon nombre d'hommes et de femmes consacraient toute leur vie à Dieu en entrant dans une communauté religieuse. Ils devenaient moines ou religieuses. Quelquefois, les parents remettaient leurs enfants à ces communautés afin de les savoir à l'abri de la misère (page 8). C'était aussi un moyen d'accéder à une vie intellectuelle et artistique.

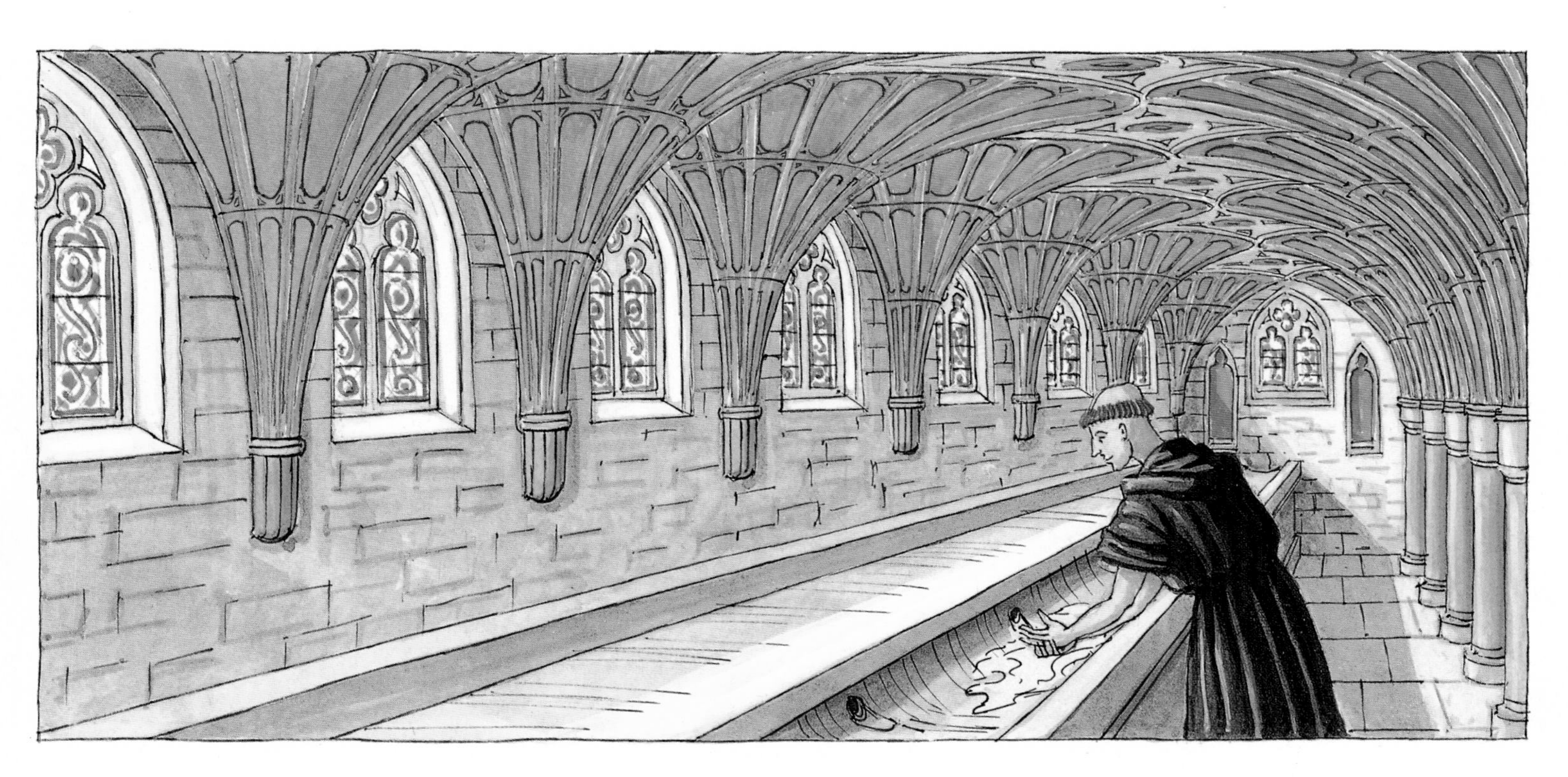

Lavoir où les moines se lavaient à l'eau froide.

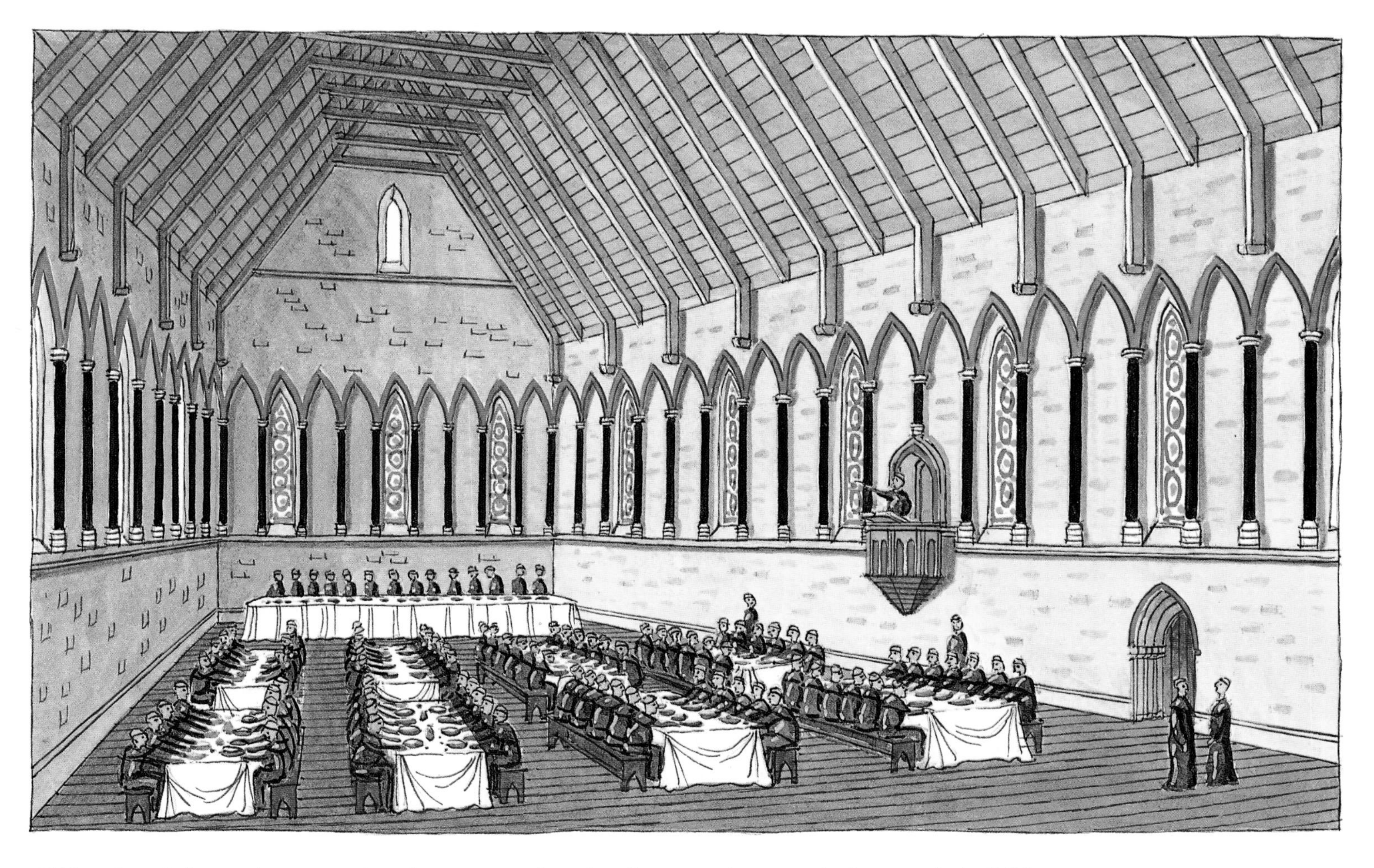

Réfectoire où les moines prenaient leurs repas dans le silence en écoutant la lecture de la Bible.

Dans les monastères ou les abbayes, les religieux partageaient tout ce qu'ils possédaient. Ils faisaient le vœu de chasteté, promettaient d'obéir à leurs supérieurs et de consacrer leur vie à la prière. Leur nourriture était frugale. Ils restaient quelquefois plusieurs jours sans manger : cette période se nommait le « jeûne ». Ils portaient une bure faite d'une étoffe grossière.

Les religieux passaient leurs journées dans le recueillement et le silence, à prier et à travailler. Il y avait sept services religieux par jour, le premier à l'aube et le dernier au milieu de la nuit.

Les ermites

Au lieu d'entrer dans un ordre religieux, certains préféraient mener une vie spirituelle en solitaire. On les appelait des ermites, terme qui signifie reclus. On leur attribuait un caractère sacré et une grande sagesse. Ils vivaient dans un lieu retiré, en s'imposant de nombreuses privations. Certains ermites, surtout les femmes, se faisaient emmurer dans leur habitation. On leur passait la nourriture par un trou, qui leur servait aussi à communiquer avec ceux qui venaient les consulter.

On raconte que saint Siméon, surnommé le Stylite (du grec *stulos*, colonne) resta assis pendant quarante-sept ans en haut d'un pilier.

Ermite.

La magnificence des maisons de Dieu

Service divin

Au fil du temps, on vit les monastères s'enrichir et devenir très puissants. Certains, comme les abbayes bénédictines qui suivent la règle de saint Benoît et accordent une grande importance au travail manuel, étaient de véritables centres agricoles organisés comme des seigneuries.

Richesses et puissance

Les communautés religieuses, pour la plupart, étaient riches et jouissaient de privilèges particuliers, généralement accordés par le roi. Certaines d'entre elles possédaient de vastes domaines qu'elles concédaient en fiefs à des vassaux.

L'abbé, chef de la communauté, comme un seigneur laïque, rendait la justice et percevait les redevances. Citons l'exemple d'un monastère en Sicile, qui était le plus gros propriétaire terrien après le roi !

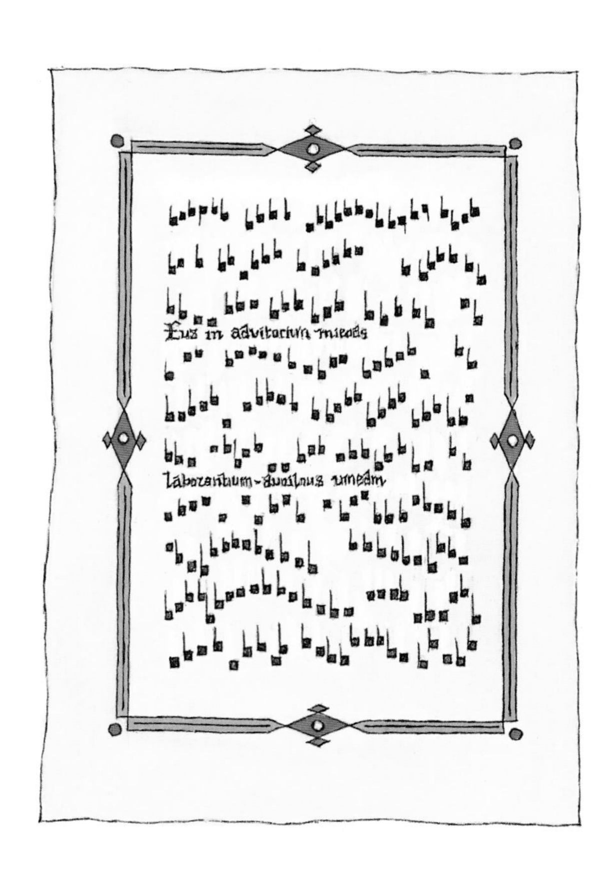

Page de musique médiévale. Les notes sont carrées car elles ont été formées à la plume d'oie.

Un avant-goût du Paradis

Imaginez ce que les humbles devaient ressentir en pénétrant dans une église. L'édifice, s'il s'agissait d'une cathédrale ou d'une abbaye, était imposant et magnifiquement décoré. La messe se célébrait en latin, ce qui ajoutait au mystère car très peu de gens le comprenait. Les fidèles devaient donc regarder attentivement les gestes du prêtre qui avaient tous une signification : le signe de croix, symbole de la foi, les mains jointes de la prière et l'imposition des mains de la bénédiction.

À l'occasion de certains services religieux, des moines interprétaient des épisodes célèbres de la vie du Christ. Dans les monastères, tous les rôles masculins et féminins étaient tenus par les moines.

Loup habillé en prêtre. C'était une façon de se moquer de l'Église, dont on enviait souvent la richesse et à laquelle on reprochait sa trop grande domination.

Les fêtes religieuses donnaient lieu à une cérémonie spéciale. Ainsi, à Pâques, une longue procession d'ecclésiastiques vêtus de chasubles chatoyantes descendait la nef. Les chœurs entonnaient des chants liturgiques (musique sacrée) tandis que les moines lisaient de grandes Bibles et des bréviaires enluminés (page 12). On utilisait des calices, des croix et des chandeliers d'or. La cérémonie, inondée de la lumière de centaines de cierges, embaumait l'encens, parfum symbolisant le paradis. Devant tant de faste, peut-être les chrétiens pensaient-ils que l'Église était l'expression du paradis sur terre. Sa richesse et sa puissance éclataient à la face du monde.

Les saints et les pèlerins

Les chrétiens qui parvenaient à mener une vie spirituelle particulièrement exemplaire étaient considérés comme des saints. Après leur mort, on les priait pour implorer leur aide. Les fidèles qui se rendaient jusqu'au tombeau d'un saint furent appelés les pèlerins, d'où le nom de pèlerinage donné à ce voyage.

Parmi les hauts lieux de pèlerinage, citons Rome, Jérusalem et Saint-Jacques de Compostelle. La coquille, insigne du saint, est devenue celui des pèlerins de Compostelle.

Châsse renfermant les reliques d'un saint dans sa partie haute. Les niches pratiquées dans le soubassement permettaient aux pèlerins de s'approcher du corps du saint lequel, croyait-on, avait le pouvoir de guérir les malades.

Saint François d'Assise

L'Italien François d'Assise est l'un des saints les plus célèbres de l'époque médiévale. À vingt et un ans, il renonça aux richesses pour fonder un ordre religieux qui prônait la pauvreté et la prière. Ses adeptes furent appelés les Franciscains. Ami de tous les animaux, saint François aimait la nature. Il prêchait dans la rue et mendiait sa nourriture.

Un jour, il eut une apparition du Christ en croix, et reçut ses stigmates aux mains, aux pieds et au côté, au même endroit que les cinq blessures du Christ. On établit le miracle et les chrétiens le reconnurent comme un élu de Dieu.

Saint François d'Assise.

Reliques et miracles

En Europe, la plupart des églises gardèrent le corps des saints dans des tombeaux. On leur attribuait un pouvoir magique, celui, entre autres, de guérir les maladies, d'obtenir une bonne récolte ou d'exaucer certains vœux. Les pèlerins se rendaient sur leur tombeau avec l'espoir qu'un miracle se produise.

Les églises conservèrent aussi des parties du corps des saints, ou des objets leur ayant appartenu, comme des morceaux de leurs vêtements. Ces reliques furent réunies dans des châsses ou reliquaires. Les chrétiens les vénéraient pour leur pouvoir magique. Une abbaye prétendit posséder les bottes de saint Thomas. Après la mort de Thomas d'Aquin, ses frères moines séparèrent sa tête de son corps et firent bouillir sa dépouille afin de conserver ses os comme reliques.

Certaines reliques, inutile de le préciser, étaient fausses. Ainsi, tant de personnes prétendaient détenir un morceau de la croix du Christ que si l'on avait rassemblé tous les morceaux, on aurait finalement obtenu plusieurs croix ...

Reliquaire contenant la tête d'une sainte.

Scène d'un « Mystère » montrant sainte Apollinaire livrée au martyre. On lui arracha toutes les dents.

Les « guerres saintes »

Croisade des enfants. Au XIIIe siècle, deux garçons de douze ans partirent à la reconquête de Jérusalem avec des milliers d'enfants de France, de Germanie et des pays du sud de l'Europe. Leur croisade fut un échec.

Depuis longtemps, les chrétiens avaient l'habitude d'aller en pèlerinage à Jérusalem, en Terre sainte, sur les lieux où le Christ avait vécu et où il était mort.

Au XIe siècle, une armée turque s'empara de Jérusalem et, dès lors, refusa l'accès de la ville aux pèlerins. Afin de reconquérir ce lieu saint, les chrétiens d'Europe constitués en armées, les croisés, livrèrent plusieurs batailles contre les Turcs, les *Infidèles*. Ce fut l'époque des croisades. Il y eut huit croisades, échelonnées sur près de deux cents ans, de 1095 à 1270. L'Église encourageait et bénissait ces « guerres saintes » menées par les « soldats de Dieu », ainsi que se définissaient les croisés.

Toutefois, nombre de croisés partaient à la guerre afin de s'enrichir en pillant l'ennemi. Bien des innocents furent blessés ou massacrés au nom de la religion. Selon certains récits, dans les rues de Jérusalem, les hommes marchaient dans le sang jusqu'au genou.

L'une des croisades, menée par Godefroy de Bouillon, réussit à reprendre la Ville sainte le 15 juillet 1099. Ainsi fut créé le Royaume de Jérusalem. Mais un siècle plus tard, en 1187, Saladin, sultan d'Egypte et de Syrie, devait la reconquérir. Au cours du XIIIe siècle, de nombreuses croisades se succédèrent, mais

Croisé. « Croisade » signifie « guerre pour la croix ». Les croisés portaient la croix de Jérusalem sur leurs tuniques.

toutes échouèrent, le lieu saint fut gardé par les musulmans.

L'Église combattait non seulement les autres religions, mais aussi les hérétiques, chrétiens qui s'éloignaient de la doctrine établie par Rome. Au XIIe siècle, se développa en Provence et en Languedoc le catharisme : ce mouvement tentait d'instaurer une religion qui, reprenant les thèmes du manichéisme, affirmait l'existence de deux forces surnaturelles, celle du Bien et celle du Mal, et refusait les sacrements. L'Église instaura un tribunal très strict, l'Inquisition, qui recherchait ces hérétiques et les condamnait à périr sur le bûcher.

Ces pratiques ont conduit à des excès regrettables qui, pour plusieurs siècles, ont entaché l'image de l'Église catholique romaine. Car même si certaines de ces hérésies mettaient en péril l'orthodoxie de la doctrine, il faut bien reconnaître qu'elles ont donné le jour à des religions aujourd'hui officielles.

D'autres hérétiques professaient des idées fantaisistes. Ce fut le cas des Lucifériens en Autriche et en Bohême qui, reprenant la théorie des Adamites, voulaient que l'humanité revînt au stade primitif de la nudité absolue.

Inquisiteur.

Jeanne d'Arc tenta de chasser les Anglais hors du royaume de France. Accusée d'hérésie, elle fut jugée et condamnée à périr sur le bûcher.

LA VIE DE LA NOBLESSE

Arbalète

Soldat fait chevalier sur un champ de bataille

Chevalier

Archer

Cotte de mailles

Deux chevaliers se livrant à une joute

Siège d'un château fort

Blason avec ses armoiries

Évêque combattant avec une masse d'armes

Écuyer

Héraut

Hallebardier

Gisant. Ici, il s'agit d'un chevalier

Le roi et la noblesse

Au Moyen Age, le roi était un véritable chef militaire. Il veillait sur un royaume, qui devait être protégé. Pour cela, il s'assurait l'aide de ses sujets riches et puissants, l'Église et la noblesse. En échange, le roi leur concédait un fief (du latin *feudum*, d'où le mot féodal), c'est-à-dire des terres prises sur son royaume. En théorie, il pouvait reprendre ces terres selon son bon vouloir. Dans la pratique, ses feudataires devenaient de plus en plus puissants.

Ce « contrat » passé entre le souverain et ses seigneurs constituait le fondement du système féodal, également en vigueur dans plusieurs pays européens : chaque sujet dépendait d'un homme plus puissant, auquel il devait obéissance : les grands seigneurs et les abbés obéissaient au roi, les chevaliers à un seigneur plus puissant qu'eux (page 28), les moines aux abbés (page 16) et les paysans aux seigneurs (page 36). Ainsi s'établit le régime vassalique.

Les seigneurs, qui prêtaient serment de fidélité au roi, ou à un seigneur plus puissant

Sceau royal en cire servant à cacheter les lettres. Si le sceau était brisé, le destinataire savait que quelqu'un avait ouvert la lettre. Pour être authentiques, les proclamations royales devaient être revêtues du sceau.

Sacre, cérémonie religieuse au cours de laquelle le roi reçoit les symboles du pouvoir : une couronne, un globe et un sceptre. Cette cérémonie accréditait l'idée que le roi était désigné par Dieu.

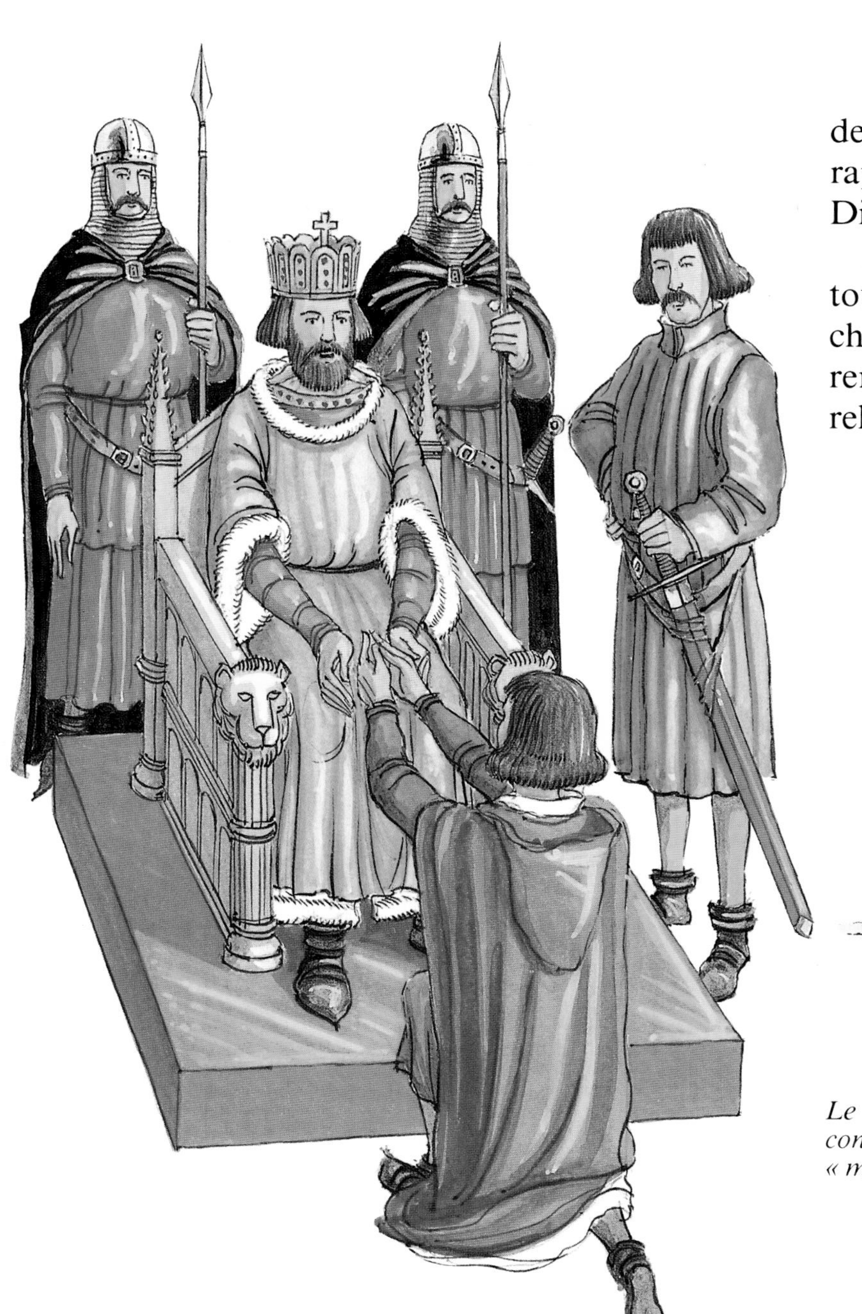

Hommage d'un vassal à son seigneur. Le vassal s'agenouille, joint ses mains entre celles du seigneur et dit : « Je te jure hommage à toi, mon seigneur pour cette terre. »

qu'eux, portaient le nom de vassaux. Ils étaient en fait les serviteurs du roi. Ils se battaient pour lui et l'aidaient à maintenir l'ordre dans le royaume. Ils devaient aussi lui offrir l'hospitalité lorsqu'il se déplaçait, ce qui coûtait fort cher puisque la suite royale pouvait compter plusieurs centaines de personnes. Ils étaient tenus de satisfaire les exigences du roi, d'entretenir ses châteaux ou de réparer les ponts du royaume. De plus, ils s'engageaient à lui fournir des guerriers en formant les chevaliers.

Au Moyen Age, les souverains devaient parfois lutter contre les seigneurs trop puissants qui menaçaient leur pouvoir. Afin de mieux le sauvegarder, ils n'hésitaient pas à rappeler qu'ils étaient les représentants de Dieu sur terre.

La cérémonie du sacre proclamait devant tous les sujets le caractère sacré de leur charge, le roi « couronné par Dieu » remplissant à la fois la fonction de chef religieux et de chef politique.

Le roi touchant un scrofuleux. On croyait que le roi, par contact, guérissait la scrofule, appelée pour cette raison le « mal du roi ».

Tableau d'un roi recevant sa couronne du Christ.

La chevalerie

Les seigneurs avaient leur propre armée qu'ils mettaient à la disposition du roi. Les hommes qui la composaient s'appelaient les chevaliers. Tandis que le roi et ses vassaux régnaient sur le pays, les chevaliers apprenaient l'art de la guerre.

La société féodale se divisait en trois grandes catégories : ceux qui priaient, les moines et les religieuses (pages 16-17) ; ceux qui guerroyaient, les chevaliers ; les artisans, les marchands et ceux qui travaillaient la terre, les paysans (page 36). Le titre de chevalier s'obtenait après une longue formation, qui durait treize ans environ.

À sept ans, le fils d'un seigneur allait vivre dans le château d'un chevalier, chez qui il servait de page. Il y apprenait à servir à table, à se battre, à chasser au faucon, à monter à cheval, à chanter, à danser et parfois à lire et à écrire (page 8). À quatorze ans, on l'envoyait chez un autre chevalier en qualité d'écuyer. Là, il s'exerçait à manier l'épée et la lance, aidait le chevalier lors des tournois et menait son cheval à la bataille. À vingt et un ans, il était enfin prêt à recevoir le titre de chevalier.

Damoiseau servant de page.

Adoubement d'un chevalier, cérémonie au cours de laquelle un écuyer était armé chevalier. La veille, on le baignait afin de le laver de ses péchés. Puis, il passait la nuit seul, en prière. Le lendemain, il recevait son épée, préalablement bénie, et prêtait serment, promettant de se consacrer aux grandes causes de la chevalerie. Enfin, un chevalier lui donnait un coup du plat de l'épée, à la base du cou.

Chevaliers arborant les couleurs de leurs dames dans un tournoi. Pour leur témoigner leur estime, celles-ci leur remettaient une faveur, gant ou ruban, qu'ils portaient sur leur armure.

Le célèbre chevalier Jean de Boucicaut, qui était capable, en armure, de faire un saut périlleux, de sauter en selle et de grimper sur une échelle à l'envers avec les mains.

Vers la fin du Moyen Age, les « joutes » furent davantage à l'honneur. Il s'agissait de combats singuliers où deux hommes s'affrontaient avec leur lance dans un lieu clos appelé lice. Le but de cette compétition était de briser la lance de l'adversaire et de le désarçonner.

Le tournoi se transformait quelquefois en manifestation théâtrale. Les chevaliers revêtaient le costume de héros légendaires et interprétaient des histoires connues.

L'armure d'un chevalier pesait trente kilos environ : il fallait avoir des épaules solides pour la porter.

Les tournois occupaient une place importante dans l'apprentissage du futur chevalier. Au cours de ces batailles simulées, participant à la fois du sport et du divertissement, les chevaliers pouvaient pratiquer l'art du combat. Les affrontements étaient violents, et les tournois se terminaient parfois dans un bain de sang.

Siège du Château d'amour. Pour ce divertissement, on voyait des chevaliers assiéger un château fort, que les dames défendaient avec, pour seules armes, des fleurs, des gâteaux et des fruits.

Les fêtes

Le seigneur donne une fête dans la salle de son château. Il a convié des ménestrels. L'écuyer tranchant, l'échanson et le panetier, servaient le repas. Ici, l'un d'eux présente à son seigneur une pièce montée en pâte d'amande recouverte d'or. Ces sculptures en confiserie avaient un but uniquement décoratif.

Au Moyen Age, il y avait de nombreux jours de fête répartis tout au long de l'année (page 41). Aux grandes fêtes religieuses, Noël et Pâques, s'ajoutaient de nombreuses fêtes comme l'Épiphanie, la Chandeleur, la Saint-Jean et la Saint-Michel.

L'art culinaire

« Plongez les mains dans le bouillon pour en vérifier la consistance et soufflez dessus régulièrement ! » Si l'on en croit ces conseils donnés par un cuisinier médiéval pour préparer un consommé, on ne se souciait guère d'hygiène à l'époque.

Comme les fourchettes n'existaient pas, les aliments étaient soit réduits en une bouillie grossière facile à poser sur du pain, soit coupés en morceaux que l'on pouvait piquer à la pointe d'un couteau ou prendre avec les doigts. Malgré tout, les mets étaient toujours très élaborés. En effet, les invités risquaient de s'offenser si un produit leur était servi tel quel, car cela signifiait que les cuisiniers avaient consacré peu de temps à sa préparation. On s'employait aussi à créer des saveurs nouvelles. N'apprenait-on pas dans tel traité de savoir-vivre comment donner au bœuf le goût du chevreuil ?

La grande table était réservée aux personnages importants. Devant le seigneur ou un hôte de marque, on plaçait une nef, ornement en forme de bateau dans lequel on mettait parfois le sel, ou le couteau et la cuillère du seigneur.

Jour de fête au château

La fête commençait habituellement vers onze heures et se tenait dans la grande salle du château (page 35). À une extrémité, on dressait la table sur une estrade à laquelle prenaient place le seigneur, sa famille et ses hôtes de marque. On disposait des bancs perpendiculairement à cette table pour les autres invités.

Sur les murs, on avait tendu des tapisseries colorées qui servaient aussi à atténuer les courants d'air. Des musiciens sonnaient de la trompe tandis qu'une armée de serviteurs apportaient les plats.

Chaque serviteur avait une fonction précise. L'écuyer tranchant découpait les viandes tandis que l'échanson servait à boire dans les timbales en étain, ou « hanaps ». Seul le seigneur avait la sienne ; les invités devaient se partager les autres. Le panetier, quant à lui, servait la nourriture sur des tranchoirs, sortes d'assiettes faites dans du pain rassis, et la répartissait entre les convives. Les mets étaient divisés en portions, que plusieurs personnes se partageaient. Les évêques, les comtes et les vicomtes devaient se contenter d'une portion pour deux ; les personnages très importants en avaient une chacun.

Les loisirs

Dame s'en allant à la chasse. Les dames de la noblesse utilisaient souvent des émerillons (petits faucons), pour chasser. Les chiens de chasse portaient une armure spéciale.

Un servant fait tourner un leurre autour de sa tête. Il s'agissait d'un objet muni de plumes, rappelant les ailes d'un oiseau, que le faucon prenait pour sa proie. Ainsi, il revenait se poser sur le poing du chasseur.

La chasse

Outre les tournois qui étaient l'occasion de fêtes somptueuses, la chasse était le passe-temps favori de la noblesse, rois, seigneurs et chevaliers. Ils chassaient avec des chiens et des oiseaux de proie, bien dressés et soignés. Certains seigneurs se rendaient même dans des lieux saints (page 20) avec l'espoir de guérir un oiseau malade ! On mettait souvent des armures aux chiens afin de les protéger des sangliers ou des ours. Ils chassaient par paire, saisissaient leur proie par les oreilles et la tenaient ainsi jusqu'à ce que le chasseur l'eût achevée. Les faucons étaient très efficaces : ils pouvaient tuer un héron en plein vol.

Les troubadours et les ménestrels

Certaines cours seigneuriales hébergeaient à l'année des artistes, troubadours ou ménestrels ; d'autres accueillaient des bateleurs itinérants (page 47), qui ne restaient qu'une nuit ou deux.

Ces artistes devaient avoir de nombreux talents. Par exemple, voici ce qu'un ménestrel devait savoir faire d'après un auteur du XIIIe siècle : conter des histoires, imiter le chant d'un oiseau, attraper des pommes sur la pointe d'un couteau, exécuter des tours de cartes, jouer de seize instruments et sauter à travers quatre cerceaux !

La noblesse de l'Europe médiévale adorait les aventures de chevaliers héroïques qui s'éprenaient de belles dames. Parmi les histoires de chevalerie légendaires, citons *la chanson de Roland* ainsi que celle du Roi Arthur et des chevaliers de la Table Ronde.

Dans ces romans, les chevaliers se montrent toujours courageux. Afin de sauver des princesses ou de gagner les faveurs de leur dame, ils se battent contre des dragons et des géants. Les dames apparaissent exigeantes et hautaines. Cet amour impossible porté à sa belle par le chevalier reçut le nom d'amour courtois.

Le jeu consistait à mettre au défi le chevalier. Un jour, sa belle ordonna au chevalier Aurélius d'aller ramasser tous les galets des plages de Bretagne afin de lui prouver son amour. Quand il entendit ce qu'il devait faire, Aurélius fut si désespéré qu'il resta couché pendant deux ans !

Bouffon, à la fois compagnon et confident du seigneur, qu'il divertissait par ses facéties.

Le jeu d'échecs, inventé par les Chinois, fut introduit en Europe au XIe siècle par les Arabes. On commença à jouer avec de vraies personnes, comme on le voit ici, et non avec des pièces.

LA VIE DANS LES CAMPAGNES

Labourage

Forgeron au travail

Sénéchal

Bailli

Foulage du raisin

Mise en place d'une toiture en chaumes

Une seigneurie

Femmes filant et cardant la laine

Salage de la viande

Bûcheron

Braconnier

Âtre dans une habitation paysanne

La grande salle du château

La seigneurie

Les seigneurs, les chevaliers et les abbés recevaient un fief du roi (page 26). Le seigneur vivait dans une vaste demeure ou un château, et prêtait ses terres aux paysans. En échange, les serfs (nom donné aux paysans) les cultivaient et lui fournissaient une partie de leur récolte à date fixe, la taille. Outre ces redevances en nature, ils devaient accomplir divers services pour le seigneur, ce sont les corvées.

Les paysans récoltaient ou fabriquaient eux-mêmes tout ce dont ils avaient besoin. Outre le fait qu'ils travaillaient la terre, certains exerçaient un autre métier. Par exemple, un paysan pouvait aussi être forgeron et fabriquer les objets en métal nécessaires aux villageois (page 34). Les femmes filaient la laine des moutons afin de confectionner des vêtements (page 35).

La plupart des paysans vivaient dans des villages. Le plus souvent, le village comprenait une trentaine de chaumières rassemblées

Moulin à vent d'un meunier qui fournissait la farine aux villageois.

Les abeilles étaient précieuses au Moyen Age, car le miel servait à sucrer la nourriture et les boissons. En effet, le sucre, introduit en Europe en 1230, avec les croisades, était rare et cher. Avec la cire d'abeille, on fabriquait des bougies, mais celles-ci étaient très onéreuses.

Villageois venant offrir des œufs au seigneur à Pâques. C'était l'une des redevances dues au seigneur dans certaines régions. La jeune villageoise qui épousait un jeune homme d'un autre village devait aussi lui remettre une somme d'argent.

groupes : les hommes libres et les serfs. Les hommes libres étaient des paysans qui avaient économisé assez d'argent pour payer le loyer de leurs terres. Ils n'étaient pas tenus de travailler pour le seigneur et pouvaient habiter hors de la seigneurie.

Les serfs, en revanche étaient attachés à la glèbe et appartenaient au seigneur. Ils ne pouvaient quitter la protection du seigneur qu'en achetant leur liberté, comme les hommes libres, soit en entrant dans un ordre religieux (page 16), soit en épousant une femme libre.

Épouvantail, officier seigneurial chargé de chasser les animaux des terres cultivables. Parmi les officiers seigneuriaux, on compte le sénéchal et le bailli.

autour du manoir seigneurial, d'une église et d'un calvaire.

Les paysans bâtissaient eux-mêmes leur habitation, faite d'une charpente en bois et de murs en torchis, mélange de terre, de paille et de crin d'animaux. Le toit était recouvert de chaume ou de tuiles. Chaque maison avait habituellement deux pièces : une pour la famille, l'autre pour les bêtes. Un grenier servait à entreposer le foin. De la paille recouvrait le sol ; des ouvertures percées dans les murs faisaient office de fenêtres. Il n'y avait pas de vitres, car le verre coûtait trop cher. À l'intérieur, l'atmosphère était sombre et enfumée à cause du feu qui brûlait au centre de la pièce.

On peut diviser les villageois en deux

Bedeau prélevant les amendes pour le seigneur chargé de faire respecter la loi dans son village.

La vie du paysan

Janvier — La période des fêtes commençait le 25 décembre pour se terminer le 6 janvier, jour de l'Épiphanie.

Avril — On se promenait dans la campagne en regardant pousser le blé pour savoir si l'année serait bonne.

Février — Pas de travaux dans les champs, les paysans restaient au chaud chez eux.

Mai — La vie en plein air reprenait avec le retour des beaux jours. En mai, les seigneurs se consacraient à la chasse.

Mars — Dans les régions vinicoles, on préparait les vignes au début du printemps.

Juin — Traditionnellement, à la Saint-Barnabé, commençait la fenaison.

Son travail

La plupart des seigneuries possédaient trois soles (champs) qu'ils alternaient d'un an sur l'autre : une réservée au blé, la seconde à l'orge et la troisième restait en jachère, c'est-à-dire qu'on la laissait sans culture pendant un an. Chaque sole était divisée en parcelles longues et étroites, séparées par des chemins herbeux. Comme elles étaient bien souvent disséminées à travers le domaine, les paysans s'arrangeaient avec d'autres villageois qui cultivaient des parcelles voisines pour partager leurs outils. Au-delà de ces champs se trouvait le pré banal, où l'on mettait les animaux en pâture. La prairie s'étendait le long de la rivière : l'herbe, une fois coupée et séchée, donnait du foin pour l'hiver.

Les villages étaient souvent isolés, et les routes très mauvaises, sinon inexistantes. En hiver, le village était pendant plusieurs mois complètement coupé du monde. On utilisait encore les voies romaines, auxquelles étaient venues s'ajouter d'autres petites routes, difficiles à entretenir. L'état des routes rendait

Juillet — Époque de la moisson.

Octobre — Mois des semailles pour les récoltes de l'année suivante.

Août — On battait le grain.

Novembre — Il fallait de nouveau se préparer pour l'hiver. On ramassait du bois pour se chauffer.

Septembre — L'automne arrivait ; c'était l'époque des vendanges.

Décembre — Les paysans abattaient leurs bêtes. Certains souffraient de la famine pendant les longs mois d'hiver.

les déplacements périlleux car les habitants avaient coutume de creuser des trous dans les chemins pour y prélever la terre qui leur servirait à réparer leur maison. Ainsi, au XVe siècle, un meunier creusa un immense trou au milieu d'une route. Il se remplit d'eau de pluie, un gantier itinérant tomba dedans avec son cheval et tous deux y périrent noyés.

Son calendrier

Le paysan médiéval ne connaissait pas les dates, mais uniquement les saisons, dont le cycle naturel rythmait son existence. Le calendrier agricole se décomposait en périodes directement liées aux travaux des champs — labour, semailles et moisson. La date exacte importait donc peu. Des scènes illustrées indiquaient les corvées du mois. On peut encore les admirer sur des sculptures, des gravures sur bois ou dans des manuscrits enluminés (page 12). *Les très riches heures du duc de Berry*, superbement illustrées, sont un exemple des calendriers dits aristocratiques.

Le paysan chez lui

Les chaumières paysannes étaient sombres et enfumées. De plus, les bougies en suif (graisse d'animal) qu'on utilisait pour s'éclairer dégageaient une mauvaise odeur.

Au centre de l'habitation se trouvait le foyer. Le feu servait à chauffer, à éclairer la pièce, à préparer la nourriture et à fumer la viande.

Les paysans prenaient deux repas par jour. Le matin, ils mangeaient du pain noir et du fromage. À table, ils buvaient de la bière, du vin et du cidre dans certaines régions et, bien sûr, de l'eau. Le soir, après une rude journée de labeur, ils dînaient d'une soupe ou d'un plat de viande et de légumes cuits dans un chaudron.

Le clos s'étendait derrière la maison. On y cultivait des légumes et des herbes aromatiques, comme les poireaux, les oignons, l'ail et la sauge, dont la saveur relevait les mets, tout en masquant le goût de la viande trop faisandée. On y plantait parfois des arbres fruitiers et de la vigne pour fabriquer des boissons, entre autres, du cidre et du vin. En hiver, on entassait le bois de chauffage dans le clos.

En automne, les paysans abattaient leurs bêtes. Comme la viande s'abîmait vite, ils la salaient ou la fumaient pour la conserver. Les animaux non abattus avant l'hiver étaient parqués dans le clos.

Quand la récolte était mauvaise et que les réserves de nourriture ne suffisaient pas pour l'hiver, les familles mouraient de faim. Pour survivre, certaines se livraient au braconnage, c'est-à-dire qu'elles volaient le gibier sur les

Paysan en train de tondre un mouton. On les élevait davantage pour leur laine que pour leur viande. Un serf n'avait pas le droit de vendre de la laine sans la permission de son seigneur.

Chevaux de trait attelés à une charrue. Le cheval remplaça le bœuf, trop lent, sur certaines exploitations. Au début du Moyen Age, l'invention du fer à cheval et la mise au point d'un nouveau système d'attelage facilitèrent la tâche de l'animal.

Curé de paroisse, le plus souvent issu de souche paysanne.

terres du seigneur. Le coupable pouvait être condamné à mort pour avoir tué un daim car le tribunal était seigneurial.

Les jours fériés, ou chômés, existaient déjà au Moyen Age. Ainsi, les paysans se rendaient à la messe de Noël, puis participaient à des réjouissances ponctuées de jeux et de danses. Les jours de fête, le seigneur offrait un grand banquet. On fêtait aussi le carnaval et les récoltes.

Dès le XIe siècle, de nouvelles techniques agricoles avaient vu le jour, notamment avec l'apparition d'une charrue plus robuste, capable de retourner les terres grasses et de labourer les sols profonds.

Les paysans obtinrent de meilleures récoltes, ils purent exploiter des sols jusque-là jugés impropres à la culture et accroître la fertilité des terres. Comme cet instrument était cher, il était parfois la propriété de plusieurs villageois.

Robin des bois, hors-la-loi fidèle à Richard Cœur de Lion prisonnier, se rendit célèbre en braconnant et en dépouillant les riches pour donner aux pauvres.

LA VIE DANS LES VILLES

Garde aux portes de la ville

Charte d'un bourg

Riche bourgeois

Colporteur

Boucher abattant un animal dans la rue

Fontaine publique

Scènes de rue

Mendiant recevant une aumône

Dame dans une litière

Prêteur sur gages

Maire

Viande gâtée que l'on brûle devant un boucher

Écusson armorié d'une corporation

Le commerce au Moyen Age

Pendant le Haut Moyen Age, la population était essentiellement rurale (page 36), car il fallait beaucoup de bras pour cultiver la terre qui produisait la nourriture de tous. À partir du XIe siècle, lorsque les méthodes agricoles se perfectionnèrent (page 41), certains paysans purent quitter la campagne pour trouver d'autres moyens de subsistance.

Marchands et artisans affluaient vers les villes à l'occasion des foires, les premiers pour y revendre avec un bénéfice des marchandises achetées ailleurs, les seconds pour y monnayer les articles (tissus, outils, meubles etc...) qu'ils réalisaient.

Chez un brasseur. Les femmes étaient souvent chargées de brasser la bière ; quand la boisson était prête, elles accrochaient un petit bouchon à leur enseigne pour attirer les clients.

Les premières cités durent se rendre indépendantes des seigneurs à qui appartenaient les terrains sur lesquels elles furent bâties. En échange de leur liberté, les citadins payaient un loyer ou de lourdes taxes au seigneur. Grâce à la charte communale, ils pouvaient commercer et administrer leurs tribunaux, sans avoir à travailler pour le seigneur. Les villes, généralement fortifiées, possédaient souvent une petite armée, afin de dissuader le seigneur de revenir sur ses engagements. Elles avaient aussi leur propre gouvernement, à la tête duquel se trouvait un maire assisté d'échevins. Les proclamations et les nouvelles importantes étaient annoncées par un crieur public, qui attirait l'attention de la population en agitant une clochette. Afin de réduire la criminalité, le couvre-feu était déclaré à partir d'une certaine heure.

Banquier. Les marchands gagnaient leur vie grâce au commerce et, pour cela, ils devaient parfois emprunter de l'argent. Ils s'adressaient soit au prêteur sur gages pour les petites sommes, soit au banquier pour les grosses. Parmi les grands banquiers, on trouvera plus tard les Médicis en Italie et les Fugger en Allemagne.

Enseigne au-dessus d'un atelier. Chaque métier avait une enseigne qui permettait de le reconnaître : un poisson pour un poissonnier, des ciseaux pour un drapier, une botte pour un cordonnier et un bouchon pour un cabaretier.

Dans les villes médiévales, on construisait aussi des maisons en torchis et en bois (page 37), dont les pièces s'empilaient l'une au-dessus de l'autre, surplombant la rue et venant presque toucher la maison d'en face. Cette construction, dite en encorbellement, accroissait les risques d'incendie.

Porteur d'eau. Dans nombre de cités, l'eau, apportée de l'extérieur de la ville jusqu'aux fontaines par des tuyaux, ne suffisait pas toujours. On utilisait aussi l'eau des cours d'eau et des puits, mais elle était souvent infectée. On achetait donc l'eau auprès de porteurs d'eau.

Jongleur dans une foire. Les foires se tenaient à diverses époques de l'année.

Les ruelles étaient étroites, sinueuses, pavées et très sales (page 50). La plupart des maisons avaient un local à l'arrière pour les bêtes ; certains citadins cultivaient des lopins de terre situés au-delà des remparts de la ville. Les maisons plus vastes possédaient une cour et un jardin d'agrément.

Les artisans travaillaient au rez-de-chaussée dans un local long et étroit, qui s'ouvrait sur la rue et servait de boutique. Ils exposaient leurs marchandises sur des étals installés devant leur atelier (pages 42-43).

Les corporations

Chef-d'œuvre. A la fin de son apprentissage, un apprenti devait réaliser un chef-d'œuvre, c'est-à-dire une pièce travaillée témoignant de son habileté. Si le chef-d'œuvre était jugé satisfaisant, l'apprenti devenait alors maître artisan.

Chaque catégorie d'artisans devait appartenir à une corporation, c'est-à-dire à une association d'artisans se livrant au même métier, qui les protégeait de la concurrence et définissait des normes de qualité.

Le maître artisan transmettait ses secrets de fabrication à son apprenti. Il leur était interdit de les communiquer aux autres artisans non affiliés à la corporation. Chaque corporation édictait son règlement. Par exemple, un apprenti devait servir un maître pendant sept ans avant de pouvoir s'installer. Afin de garantir la qualité d'exécution du travail, une corporation ordonna à ses drapiers de passer une journée à rapiécer des vêtements pour les pauvres chaque fois qu'ils gaspilleraient une pièce d'étoffe.

Certains artisans se regroupaient par spécialité dans un quartier de la cité. Les noms des rues datant de cette époque nous permettent aujourd'hui de savoir quels métiers s'y étaient rassemblés : rue de la Parcheminerie, impasse des Tanneurs, rue du Marché aux grains ou rue de la Ferronnerie.

Le nom de certaines corporations nous fournit d'autres indications. La corporation des barbiers-chirurgiens, par exemple, nous apprend que jadis un barbier ne coupait pas que la barbe !

Ce vitrail fut offert par la corporation des boulangers, leur symbole figure en bas du vitrail.

Coupage du vin avec de l'eau. En dépit des réglementations, toutes sortes de pratiques malhonnêtes avaient cours.

Les divertissements

Scène d'un Mystère. Les mystères représentaient souvent des épisodes de la Bible.

Le théâtre était très en faveur au Moyen Age : les « miracles » et les « mystères » (*le Miracle de Théophile* de Rutebeuf, *le Mystère de la Passion* d'Arnoul Gréban) mettant en scène des sujets religieux étaient réservés à certains jours de fête (page 30) et joués sur le parvis de l'Église. Le genre comique, représenté par les « farces », était aussi très apprécié du public : citons la célèbre *Farce de maître Pathelin* et *la Farce du Cuvier.*

La représentation avait lieu sur une scène montée sur la place du marché, ou à l'arrière d'une charrette. Chaque corporation jouait une scène de la Bible, telle l'Arche de Noé, qui a été sans doute la plus représentée.

Des acteurs, des acrobates et des musiciens itinérants allaient de ville en ville pour y donner des spectacles de rue. Au début du Moyen Age, des conteurs narraient des histoires en public.

On connaissait aussi certains sports, entre autres la soule (sorte de football), la lutte et la paume. En hiver, on patinait sur les rivières et les étangs gelés.

De l'avis d'un auteur médiéval, « une cité ne doit pas être seulement commode et sérieuse ; elle doit aussi être joyeuse et vivante ».

Conteur

Patineurs s'aidant de bâtons pour glisser sur la glace. Ils fabriquaient leurs patins avec des os d'animaux.

La famille au Moyen Age

Mari battu, thème humoristique souvent illustré dans l'art médiéval. Dans la réalité, le mari dirigeait le ménage et son épouse faisait légalement partie de ses biens.

Avec qui vivez-vous aujourd'hui ? Sans doute avec vos parents et vos frères et sœurs. Au Moyen Age, les grands-parents, ainsi que les oncles et les tantes célibataires, vivaient sous le même toit, et parfois même d'autres personnes étrangères à la famille, comme les domestiques et les apprentis. Les habitations étaient surpeuplées ; tout le monde dormait dans la même pièce, sauf chez ceux qui habitaient de vastes demeures.

On mourait très jeune, par manque d'hygiène et du fait de l'incapacité de soigner de nombreuses maladies. Dans la noblesse, on mariait les filles, et parfois les garçons, vers quinze ou seize ans. Ne pas être marié à vingt ans était déshonorant. Les parents des familles aisées donnaient leurs enfants en mariage sans les consulter. La femme avait beaucoup d'enfants, mais seulement la moitié d'entre eux atteignait l'âge adulte car la mortalité infantile était très élevée. La mère elle-même risquait de mourir en mettant au monde un enfant.

Lit, meuble de valeur à l'époque médiévale. Les rideaux, ou courtines, protégeaient des courants d'air.

Parents avec leurs enfants

On ne portait pas toujours une affection débordante aux enfants, on avait hâte de les voir grandir.

La façon de se vêtir

Les dames de la cour portent une coiffe appelée hennin, les hommes, un chaperon à cornette, bonnet à longue pointe qui touchait parfois le sol et que l'on portait soit enroulée autour du cou, soit autour de la tête comme un turban. Vers la fin du Moyen Age, les chaussures masculines, ou poulaines, devinrent de plus en plus pointues, si bien que l'on en attachait parfois les pointes à la cheville. Chez les seigneurs, elles furent très à la mode au XIVe siècle, même les chevaliers se battaient avec des solerets (parties de l'armure qui protégeaient le pied) à la poulaine.
Les enfants étaient vêtus comme les adultes.
L'Église tenta de réfréner ce goût pour les atours extravagants en édictant les « lois somptuaires », qui limitaient l'usage d'étoffes coûteuses ou le nombre de couleurs vives dans un costume.

Au Moyen Age, le vêtement permettait de différencier chaque catégorie sociale.

Pour confectionner les vêtements, on employait surtout de la laine et du lin. Les paysans portaient des tuniques en étoffe grossière, des jambières et des galoches, ou des chausses en toile épaisse, les femmes de longues robes en grosse toile et un capuchon sur la tête.

Les riches se réservaient l'usage de la soie, importée d'Extrême-Orient, du velours et du damas, tissu fabriqué à Damas, en Syrie. On employait de la fourrure d'écureuil ou d'hermine pour doubler ou border les habits. Enfants et adultes s'habillaient de la même façon.

Un véritable engouement pour les habits luxueux s'affirma vers la fin du Moyen Age parmi les plus fortunés. C'était un moyen de montrer combien on était riche et puissant. Ainsi, pour affirmer leur rang, les dames de la noblesse portaient des vêtements dans lesquels il était parfois difficile de se déplacer. Elles n'avaient pas besoin de bouger autant qu'une paysanne ou qu'une marchande. Dehors, des servantes tenaient leur traîne ; sinon, elles se déplaçaient en litière (pages 42-43).

Les nobles étaient tellement soucieux de se distinguer des bourgeois et des paysans qu'ils avaient prévu une loi interdisant à ceux-ci de porter de jolis vêtements :

« Les laboureurs, les bouviers, les bergers, les vachers, les porchers, les laitières ou quiconque travaillant la terre sont tenus de se vêtir de toile ou de drap bon marché ».

La santé et l'hygiène

L'une des premières dissections du corps humain, effectuée par des médecins de l'Université de Bologne en Italie.

Lunettes, invention arabe introduite en Europe vers la fin du Moyen Age.

Comme les villes étaient insalubres, les maladies se répandaient vite parmi la population. Au milieu des ruelles, une rigole servait à évacuer les ordures et les eaux sales.

Les logements ne possédaient ni eau courante ni toilettes. On utilisait un pot de chambre dont le contenu était le plus souvent déversé dans la rigole, depuis une des fenêtres de la maison avec tous les risques d'arroser le passant. On prenait rarement des bains, même à la cour du roi. Néanmoins, certaines personnes de qualité se baignaient dans un cuvier, et il existait des étuves publiques.

Il y avait peu de médecins, et se faire soigner coûtait très cher. De plus, on ignorait comment guérir nombre de maladies. Cela pouvait donner lieu à d'étranges pratiques. Pour soigner un patient à l'esprit dérangé, le chirurgien lui ouvrait le crâne afin d'en chasser le démon. On essayait de guérir un mal de gorge en attachant le bec d'une pie autour du cou du malade. La médecine commença cependant à faire des progrès à cette époque. C'est à l'université de Bologne que des médecins procédèrent pour la première fois à une dissection de cadavres afin de mieux comprendre le fonctionnement du corps humain.

Procession de flagellants. Beaucoup croyaient que la peste était un châtiment de Dieu. Lors des épidémies de peste, on organisait des processions religieuses en signe de pénitence, afin de recevoir le pardon de Dieu. Il arrivait aussi que des flagellants se fustigent en public pour se punir de leurs péchés.

La peste noire

Les épidémies mortelles étaient fréquentes au Moyen Age, la lèpre constituait le fléau social par excellence, mais l'épidémie de peste noire qui frappa l'Europe fut la plus terrible. Venue d'Asie centrale et apportée dans les ports par les rats qui grouillaient sur les bateaux, elle se répandit très vite et décima énormément de monde : en une seule année, de 1348 à 1349, près d'un tiers de la population d'Europe mourut. Des villages entiers furent décimés. Il ne restait plus assez de personnes en vie pour enterrer les morts. Un écrivain décrivit la peste en ces termes :

« Des boules apparaissaient d'abord sous les bras et à l'aine. Certaines devenaient aussi grosses que des pommes ... On en remarquait ensuite sur tout le corps. Des plaques noires ou violettes apparaissaient ... C'était le signe évident que l'on allait mourir. »

La peste bubonique, la plus courante à l'époque, fut à l'origine de cette épidémie. Elle était transmise par les rats et les médecins ne savaient pas la soigner.

Lépreux agitant sa crécelle. On isolait les lépreux dans une léproserie, ou maladrerie, située en dehors de la cité. Ainsi, la lèpre se répandit moins vite et disparut pratiquement d'Europe à la fin du Moyen Age.

LE MONDE EXTÉRIEUR

Galère

Porcelaines chinoises

Marchand

Marin

Parfums et épices

Marchand d'Asie négociant de la soie

Bateaux dans un port

Dans les ports, les rats apportent les maladies

Licorne, cheval imaginaire à une corne

Esclave

Pirate

Un croisé montre une relique rapportée de Terre sainte

Perroquet, oiseau exotique très prisé

Les navigateurs et les explorateurs

Le célèbre explorateur Marco Polo effectua pendant dix-sept ans des voyages en Orient.

Aujourd'hui, on se déplace facilement d'un pays à l'autre. Grâce à la télévision et aux journaux, on sait presque immédiatement ce qui se passe à l'autre bout du monde. Au Moyen Age, il en allait tout autrement.

On voyageait généralement peu. Les routes praticables étaient rares et il fallait une journée pour parcourir 40 km (moins d'une heure en voiture aujourd'hui). Se rendre dans d'autres pays était exceptionnel. Les voyages lointains s'effectuaient par bateau. Ils étaient longs, inconfortables et dangereux.

On savait peu de chose des terres lointaines. En Europe, on ignorait l'existence de l'Amérique et de l'Australie. Seuls les savants tentaient de se représenter le monde. Beaucoup croyaient, par exemple, que la terre était plate et entourée d'un vaste océan. Les premiers voyageurs avaient peur de basculer dans le vide s'ils s'aventuraient trop loin ! Certains pèlerins et marchands (page 20) revinrent avec les histoires fantastiques sur les étranges créatures qu'ils avaient rencontrées dans les terres lointaines, licornes ou sciapodes, ces créatures unijambistes qui se servaient de leur énorme pied pour se protéger du soleil !

Au départ, nul ne songeait à explorer ces terres, ni à aller voir où elles se trouvaient

Carte médiévale représentant le monde, avec les trois continents connus à l'époque : l'Afrique, l'Asie et l'Europe. Jérusalem étant une cité très importante pour les chrétiens, elle figure au centre du monde.

Sciapode, créature imaginaire qui vivait couchée sur le dos et s'abritait du soleil avec son énorme pied.

À partir du XIIIe siècle, les navigateurs qui emmenaient les marchands sur leurs bateaux commencèrent à dessiner les cartes côtières des pays au large desquels ils avaient croisé et les itinéraires qu'ils avaient empruntés. Cela fut rendu possible grâce à trois découvertes importantes faites par les Arabes : la boussole, l'astrolabe et le quadrant. Ces instruments de navigation permirent aux marins de connaître l'heure exacte, ainsi que la distance parcourue et l'orientation de leur trajet.

Évocation de l'Adoration des mages. Cette scène de Noël nous montre les rois mages venus d'Europe, d'Asie et d'Afrique, les trois continents connus au Moyen Age.

réellement. Puis, peu à peu, parallèlement à l'expansion urbaine (page 44), grandit chez les commerçants le désir de voyager. En effet, pour développer leur négoce, il leur fallait se procurer de nouvelles denrées inconnues en Europe et ouvrir de nouveaux marchés (pages 52-53).

Certains firent le récit de ce qu'ils avaient vu et donnèrent des conseils aux futurs voyageurs. Marco Polo, un Italien qui vécut à la fin du XIIIe siècle, partit de Venise pour se rendre en Chine par voie terrestre : il venait ainsi d'ouvrir la Route de la soie. Il nous laissa les récits de ses voyages qu'il écrivit en captivité, ayant été fait prisonnier par les Génois au cours d'une bataille navale.

Astrolabe, instrument utilisé pour mesurer le mouvement des astres.

La boussole, inventée par les Chinois, fut introduite en Europe au XIIe siècle. Grâce à elle, les marins purent explorer les mers inconnues sans dévier de leur route.

Le commerce avec les pays lointains

De nos jours, on consomme couramment du sucre, du poivre, du riz ou du citron. Durant le Haut Moyen Age, toutes ces denrées étaient encore inconnues. Pourtant, à la fin de l'époque médiévale, on employait ces produits en Europe. Que s'était-il passé dans l'intervalle ?

Les pèlerins, les croisés (page 22) et les marchands s'étaient rendus dans d'autres pays, où ils avaient parfois séjourné pendant plusieurs années, et d'où ils avaient rapporté ces marchandises.

Épices : poivre, cannelle, muscade et macis. La carte indique le pays dont elles viennent.

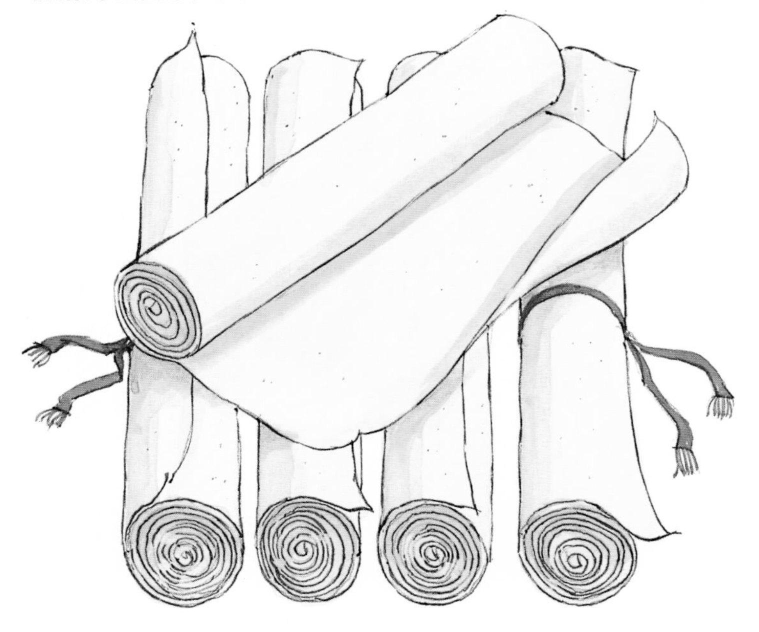

Rouleaux de papier. Le papier fut inventé en Chine au Ier siècle avant J.-C., mais demeura très rare en Europe jusqu'à la fin du Moyen Age. Il était pourtant moins cher que le parchemin ou le vélin.

Les croisés revinrent de Terre sainte (page 22) avec des produits exotiques, comme les citrons, les melons, les abricots, le riz, les cotonnades, les parfums, les tapis et les miroirs.

De l'Orient, les marchands rapportèrent des produits de luxe, tels les tapis et les étoffes

Combat naval entre des bateaux de commerce génois et vénitiens. En Italie, les ports de Gênes et de Venise se livraient une âpre concurrence.

Marchands russes transportant des fourrures, la principale exportation de ce pays.

précieuses, entre autres la soie chinoise. Ils suivaient les routes empruntées par leurs prédécesseurs, notamment la célèbre Route de la soie (page 55).

Ce sont surtout les épices que l'Europe se procurait en Orient : le poivre, la cannelle, la muscade et le macis. Ainsi ces épices furent-elles de plus en plus prisées après le Moyen Age, car elles servaient à atténuer le goût de la viande trop forte (page 40).

À la fin du Moyen Age, les marchands s'intéressèrent aux pierres et aux métaux précieux, comme le diamant et l'or, que l'on trouvait en Afrique.

Un prince portugais, Henri, plus tard surnommé Henri le Navigateur, s'entoura d'astronomes et de cartographes (dessinateurs de cartes), établit un observatoire et forma des marins pour aller explorer la côte occidentale de l'Afrique. Avant l'expédition, ses marins avaient peur de périr ébouillantés dans les mers tropicales ! À son retour, en 1441, il rapporta une cassette remplie d'or et le premier chargement d'esclaves africains. C'était le début du commerce des Noirs, qui seront utilisés plus tard dans les colonies d'Amérique.

Les occupants des bateaux en détresse au large des côtes anglaises avaient peu de chance d'être secourus, une loi spécifiant que la cargaison d'une épave appartenait à celui qui la trouvait, sauf s'il y avait des survivants.

Les découvertes et les inventions

La première presse à imprimer.

Quand les chrétiens revenaient de croisade, ils rapportaient non seulement des marchandises inconnues (page 56), mais aussi des idées nouvelles. Ils avaient beaucoup appris pendant leur séjour en Terre sainte, notamment de leurs ennemis, les musulmans.

En Europe, au début du XIIe siècle, on écrivait les chiffres de 1 à 10 en chiffres romains : I, II, III, IV, V, VI, VII, VIII, IX, X. La lettre C signifiait 100 ; la lettre M, 1000. L'Europe avait hérité ces chiffres des Romains, d'où leur nom. On les utilise encore aujourd'hui dans certains cas, sur des cadrans d'horloge, par exemple. Les additionner était difficile car les Romains n'employaient pas le zéro.

Les Arabes utilisaient un autre système de chiffres : les chiffres arabes dont on se sert encore aujourd'hui, et que l'on peut additionner. Là encore, les croisés les rapportèrent en Europe.

Des mathématiciens arabes avaient mis au point une série de tables destinées à évaluer la taille des objets : ce sont les tables trigonométriques, encore utilisées aujourd'hui pour calculer la dimension d'un angle. Elles furent introduites en Europe au Moyen Age.

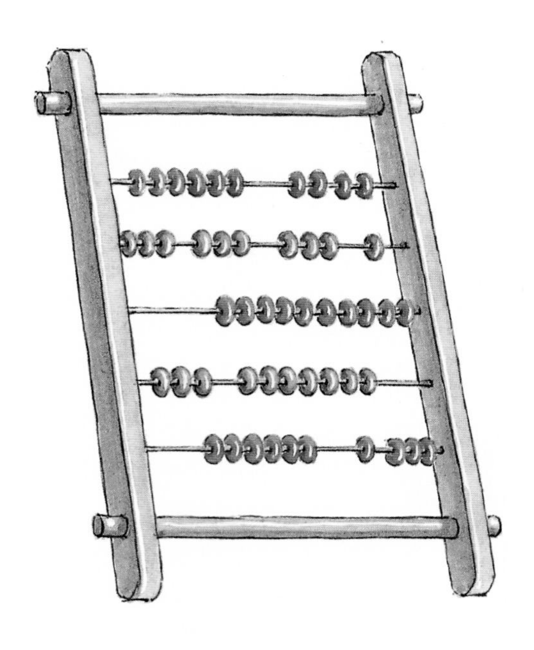

L'abaque, descendant du boulier chinois, fut introduit en Russie vers la fin du Moyen Age.

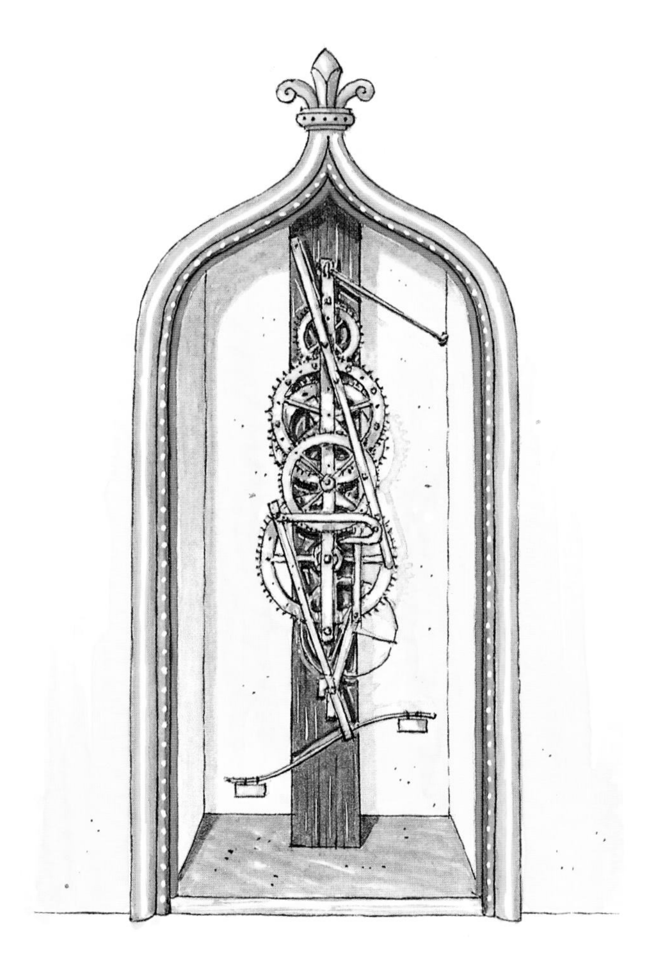

Horloge mécanique, introduite en Europe au XIIIe siècle. Auparavant, on utilisait des horloges à eau, ou clepsydres, et des cadrans solaires, où l'on déduisait l'heure d'après la position du soleil.

Une arme nouvelle

Les Chinois furent les premiers à inventer la poudre à canon qu'ils employèrent d'abord pour les feux d'artifice. Dès qu'elle fut introduite en Europe, au XIVe siècle, on l'utilisa pour faire la guerre.

La poudre à canon révolutionna l'art guerrier, mais il fallut un certain temps pour apprendre à s'en servir. Les canons géants, ou bombardes, étaient aussi dangereux pour les artilleurs que pour l'ennemi, il pouvait arriver que les canonniers fussent tués par l'explosion d'un canon. Les arquebuses (armes de poing) n'étaient guère plus efficaces au début. L'utilisation du canon annonce le déclin du rôle militaire des châteaux forts.

Robe à boutons : ils furent importés d'Orient au XIVe siècle.

Le papier monnaie fut inventé par les Chinois.

L'essor de l'imprimerie

L'imprimerie fut une invention plus pacifique. Les Chinois l'avaient inventée avant la poudre à canon, mais elle n'apparut en Europe qu'à la fin du XIVe siècle.

L'introduction de la presse à imprimer transforma les techniques de fabrication des livres : réalisés plus rapidement, leur coût diminua et leur diffusion accrût (page 12). Ainsi, de plus en plus de lecteurs purent acheter des livres et accéder au savoir. Une ère nouvelle allait bientôt naître — la Renaissance.

À LA DÉCOUVERTE DU MOYEN AGE

Il reste encore bien des questions sans réponse concernant l'époque médiévale. Toutefois, nous avons beaucoup appris des historiens qui, tels des détectives, ont rassemblé des indices, glanés ici et là au fil des années en consultant des manuscrits, en étudiant des monuments ou en observant des tableaux. Nous pouvons tous être des historiens.

Voici quelques conseils pratiques qui orienteront vos recherches personnelles sur le Moyen Age.

Que vous habitiez une ville ou un village, vous trouverez sans doute dans votre région un bâtiment, ou les ruines d'une construction datant de l'époque médiévale. De nombreuses églises romanes furent construites à cette époque. À l'intérieur, regardez les vitraux, les gravures sur bois ou les fresques s'il y en a. Si vous visitez une cité médiévale, cherchez les remparts, les arcades ou les fenêtres à meneaux (avec des montants et traverses en pierre). Afin de mieux localiser ces sites, rendez-vous dans une bibliothèque, un office du tourisme ou un musée.

Les bâtiments que vous découvrirez vous

donneront de précieuses indications sur le mode de vie médiéval. Essayez de vous les représenter tels qu'ils furent jadis. Pour savoir comment une construction a été érigée, explorez des ruines. Notez l'endroit où se dressait l'édifice pour découvrir quelle était sa fonction. Une ruine située près d'une route médiévale peut avoir été une chapelle ; près d'une rivière, elle peut avoir été un moulin à eau ; en haut d'une colline, il pouvait s'agir d'un fort, etc.

Visitez les musées et les galeries. L'art médiéval vous fera découvrir beaucoup d'autres détails sur la vie au Moyen Age. Sur une peinture de l'époque, observez bien le costume de tel ou tel personnage, par exemple, celui des rois mages sur un tableau de la Nativité. Un tableau de la Cène vous montrera peut-être une table couverte de mets de l'époque.

En rassemblant tous les indices que vous aurez ainsi recueillis, vous approfondirez peu à peu vos connaissances sur le Moyen Age et vous ferez revivre cette lointaine époque sous vos yeux.

TABLEAU CHRONOLOGIQUE

	LES ARTS ET L'ÉTUDE	LES EXPLORATEURS ET LES DÉCOUVERTES
300 - 400	ap. 313 Première basilique Saint-Jean-de-Latran à Rome.	
400 - 500	vers 450 Basilique des Septs-Dormants à Éphèse.	
500 - 700	527-565 Construction de la basilique Sainte-Sophie à Constantinople.	
700 - 800	Charlemagne crée une école du palais et des ateliers d'art dans les monastères.	
800 - 1000	805 Aix-la-Chapelle. Édification de la chapelle Palatine.	vers 870 Premier livre imprimé en Chine.
1000 - 1100	1030 Fondation de l'École de médecine de Salerne. 1065-1100 *La Chanson de Roland.* 1088 Fondation de l'École de droit de Bologne en Italie.	
1100 - 1200	Cycle du *Roman de Renart.* 1132-1144 Construction de la basilique de Saint-Denis : début de l'art gothique. 1135-1183 Vie de Chrétien de Troyes, poète français à qui l'on droit *Lancelot ou le Chevalier à la charrette, Perceval ou le Conte de Graal.* 1163-1351 Construction de Notre-Dame. 1170 Fondation de l'université d'Oxford en Angleterre. 1194-1260 Construction de la cathédrale de Chartres.	Introduction en Europe des premiers instruments de navigation — la boussole, l'astrolabe et le quadrant. Le sucre est introduit en Europe.
1200 - 1300	1214-1292 Vie du philosophe anglais Roger Bacon. 1225-1274 Vie de Saint Thomas d'Aquin, célèbre théologien français. 1230-1275 *Le Roman de la rose.* 1257 Fondation de la Sorbonne par Robert de Sorbon. 1266-1336 Vie du peintre florentin Giotto.	Le papier, inventé par les Chinois, est introduit en Europe. 1254-1324 Vie de Marco Polo, explorateur et marchand italien.
1300 - 1400	1300-1377 Guillaume de Machaut, créateur de l'École polyphonique française. 1325-1400 *Chroniques* de Jean Froissart, peinture de la vie féodale.	Premières horloges mécaniques utilisées en Europe. 1394-1460 Vie de Henri le Navigateur.
1400 - 1500	1431 ap. 1463 Vie de François Villon, auteur de lais et de *La Ballade des pendus.*	La poudre, inventée en Chine, arrive en Europe. Les premières armes de poing fonctionnant avec la poudre à canon font leur apparition en Europe. 1454 Johann Gutenberg invente l'imprimerie et met au point un système d'impression à caractères mobiles. 1492 Christophe Colomb découvre l'Amérique.

LA RELIGION	GRANDS ÉVÉNEMENTS
313 L'édit de Milan, proclamé par l'empereur Constantin, légalise la religion chrétienne.	
480-547 Vie de saint Benoît, fondateur de l'ordre des Bénédictins.	451 Bataille des Champs catalauniques. Défaite d'Attila. 481 Avènement de Clovis.
vers 570-580 Naissance à La Mecque de Mahomet.	Arthur, roi légendaire gallois, combat les barbares venus envahir la Bretagne, actuelle Angleterre. Il deviendra un héros mythique, à l'origine de nombreux romans courtois.
	732 Charles Martel arrête les Arabes à Poitiers. 800 Charlemagne, roi des Francs, est sacré empereur d'Occident. Les Francs étaient l'une des tribus les plus puissantes d'Europe occidentale.
813 Début du pèlerinage à Saint-Jacques-de-Compostelle.	843 Traité de Verdun. Partage de l'empire Carolingien.
1054 Schisme d'Orient. 1084 Fondation de L'ordre des Chartreux par saint Bruno. 1095 Concile de Clermont : Urbain II prêche la 1re croisade. 1099 Prise de Jérusalem par les Croisés.	1043-1099 Vie de Cid Campeador, chevalier espagnol, appelé « le Cid ». 1066 Bataille d' Hastings. Les Normands, menés par Guillaume le Conquérant, battent les Anglais et envahissent l'Angleterre.
1147 Seconde croisade, entreprise à l'initiative du roi de France, Louis VII le Jeune. 1187 Prise de Jérusalem par Saladin. 1189 Troisième croisade. 1199 Innocent III institue l'Inquisition.	1137 Louis VII épouse Aliénor d'Aquitaine.
1202 Quatrième croisade. 1206 Saint Dominique fonde l'ordre des Dominicains. 1212 Croisade des enfants. 1218 Cinquième croisade. 1270 Mort de Saint Louis devant Tunis, lors de la 8e croisade.	1214 Victoire de Philippe Auguste à Bouvines. 1215 La Grande Charte, signée par le roi Jean sans Terre, limite les pouvoirs de la monarchie anglaise. 1226-1270 Saint Louis, roi de France.
1309 Le siège de la papauté s'installe à Avignon.	1337-1453 La guerre de Cent Ans oppose la France et l'Angleterre. 1347-1353 La Peste noire tue 25 millions de personnes en Europe. 1358 Pour réagir contre les nouveaux impôts qui leur sont imposés, des paysans d'Ile-de-France se révoltent. Cette jacquerie, qui atteindra la Champagne et la Picardie, sera durement réprimée. 1366-1421 Vie de Jean de Boucicaut.
1478 L'Inquisition espagnole est mise en place pour lutter contre les hérétiques juifs et musulmans. 1492 Les Juifs sont chassés du territoire espagnol.	1412-1431 Vie de Jeanne d'Arc, qui sera condamnée au supplice du bûcher à Rouen, après avoir tenté de chasser les Anglais hors de France. 1453 Constantinople, capitale de l'empire chrétien byzantin, est prise par les Turcs. 1492 Grenade, dernier bastion arabe en Espagne, tombe aux mains de Ferdinand de Castille, qui devient le premier roi chrétien de l'Espagne unie.

INDEX

Les numéros de page en italiques
renvoient aux légendes des illustrations.

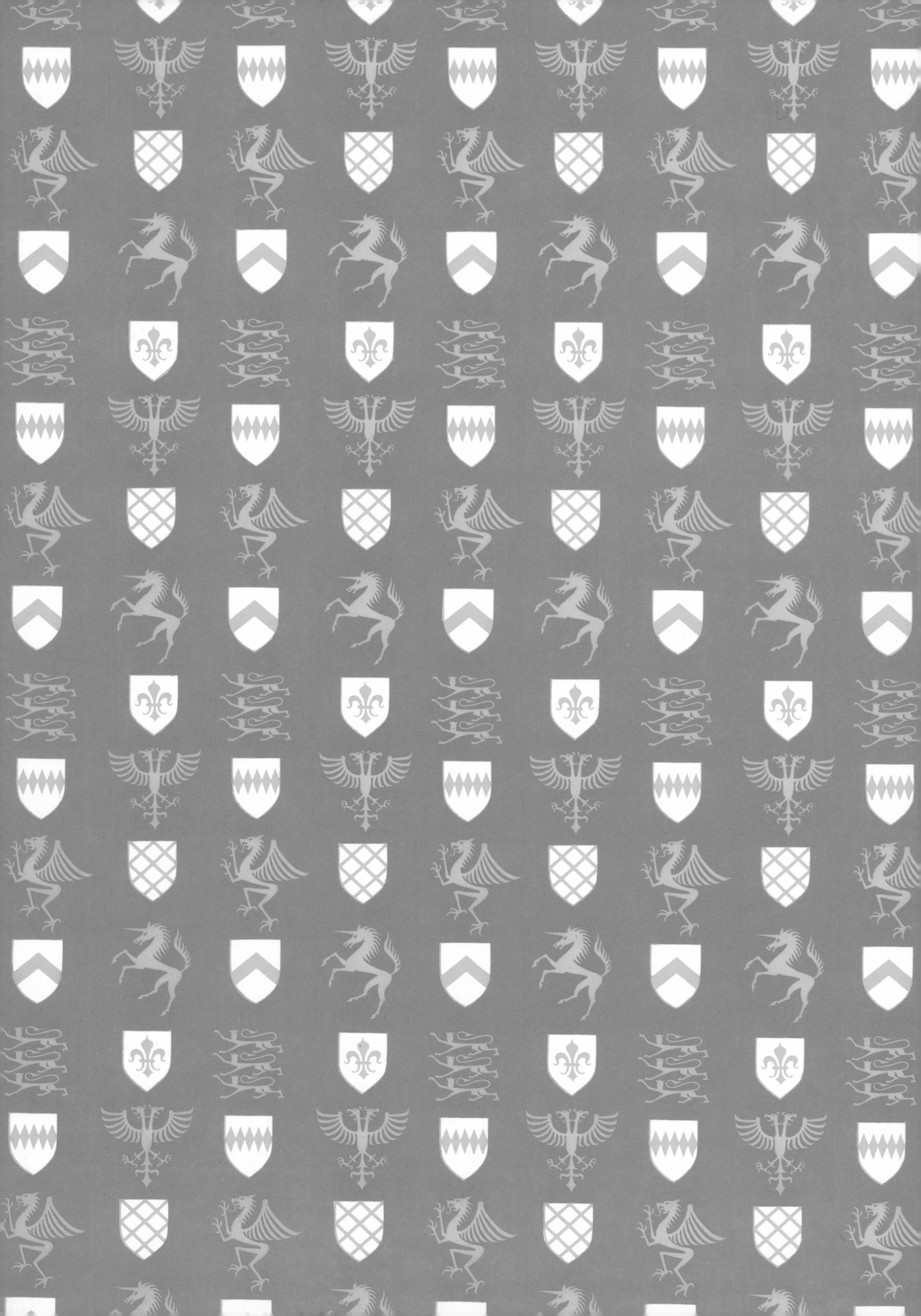